NADOLIG, NADOLIG

Cerddi tymhorol i blant

Nadolig, Nadolig

Cerddi tymhorol i blant

Gol: Myrddin ap Dafydd

Panel Golygyddol:
Meinir Pierce Jones, Emily Huws, Hywel James

Argraffiad cyntaf: Medi 1995
Ail-argraffiad: Medi 1999

Cyhoeddwyd dan gynllun comisiynu Cyngor Llyfrau Cymru.

Dymuna'r cyhoeddwyr gydnabod cymorth
Adrannau Cyngor Llyfrau Cymru.

Rhif Llyfr Safonol Rhyngwladol:
0-86381-347-X

Argraffwyd a chyhoeddwyd gan Wasg Carreg Gwalch,
12 Iard yr Orsaf, Llanrwst, Dyffryn Conwy.
☎ *(01492) 642031* 🗎 *(01492) 641502*
e-bost: llyfrau@carreg-gwalch.co.uk
lle ar y we: www.carreg-gwalch.co.uk

Cynnwys

Cyflwyniad

'Nadolig . . . ' Mae dim ond dweud y gair yn canu clychau yn y cof — golygfeydd o eira perffaith, gwlad dawel, sêr disglair, ffenestri siopau hen ffasiwn yn llawn o ryfeddodau, partïon a charolau, celyn a choed bythwyrdd, twrci a phwdin ac, wrth gwrs, sanau-troed-gwely a hen ŵr bochgoch clên yn gwenu wrth rannu.

Ydi, mae'r Nadolig yn deffro'r dychymyg ar unwaith a does yna fyth brinder o bethau i'w dweud na phrinder o straeon i'w hadrodd am yr ŵyl a'r dathliadau. Mae'n gyfnod o lawenydd, o oleuadau lliwgar yn nyfnder y gaeaf ac mae'r hapusrwydd hwnnw yn rhywbeth i'w groesawu. Mae yna gerddi yn y casgliad hwn sy'n darlunio'r hwyl a'r miri sy'n perthyn i'r ŵyl.

O dan y tinsel a'r papurau lapio amryliw, mae anrhegion eraill i'w canfod yn ogystal. Teimladau cynnes, annwyl gan rai sy'n cael a theimladau o gydymdeimlad a chydrannu gyda'r rhai sydd heb ddim. Mae'r ŵyl yn perthyn i'r flwyddyn hon a'i holl broblemau bob tro y daw heibio ac mae'r Nadolig cyfoes yma yn y gyfrol hefyd.

Ond wedi hepgor ei haddurniadau i gyd, rydan ni'n dod yn ôl at y garol a'i geiriau, y stabal a'r preseb a stori'r geni — stori am gariad. Hwn yw'r Nadolig oesol ac mae cerddi newydd am yr hen, hen arwyddocâd hwnnw i'w cael rhwng cloriau'r gyfrol hon yn ogystal — cerddi i ddiddanu ac i'w canu, i'w cynnwys mewn cyngerdd, neu wasanaeth i ddathlu'r ŵyl efallai ac a fydd eto yn canu yn y cof pan glywn y gair 'Nadolig . . . '

Myrddin ap Dafydd

Noswyl Nadolig

Cartref cynnes, tanllwyth o dân,
Parseli mawr, parseli mân,
Lluniau pert, carolau llon,
Noson hudol ydyw hon.

Siân Rhiannon

Nadolig

Nadolig ydyw alaw — un nos oer
    â'r Seren yn ganllaw,
  a Christ yn faban distaw'n
  y gwair llwm, a Duw gerllaw.

Nadolig yw dal dwylo'n — ddi-berswâd,
    aduniad rhwng dynion,
  gŵyl i uno gelynion:
  edifarhau mewn dwy fron.

Nadolig sydd yn deulu — yn agor
    anrhegion dan wenu,
  y goeden yn serennu
  a chlecian tân lond y tŷ.

Nadolig yw'r di-aelwyd — yn rhynnu,
    y rheiny anghofiwyd
  mewn gaeaf, gŵyl nas cafwyd
  is y lloer mewn bocsys llwyd.

Meirion MacIntyre Huws

Hwn

Hwn yw'r gwair sy'n siffrwd y Gair.
Hwn yw'r llety sydd yn yr anifail.
Hwn yw'r gwyll sy'n goleuo'r seren.
Hwn yw'r esgor sy'n blaguro'r gaeaf.
Hwn yw'r llawenydd sy'n canu'r garol.
Hwn yw'r baban sy'n porthi'r preseb.
Hwn yw'r tangnefedd sy'n aflonyddu'r storm.
Hwn yw'r cyrraedd sy'n dechrau'r daith.
Hwn yw'r byd sy'n troi yr haul.
Hwn yw'r Gair sydd yn y gwair.

Myrddin ap Dafydd

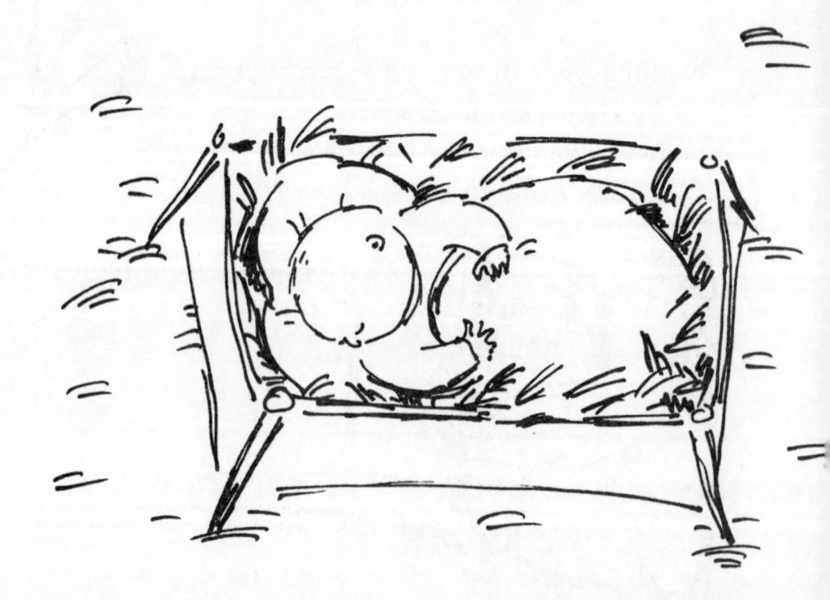

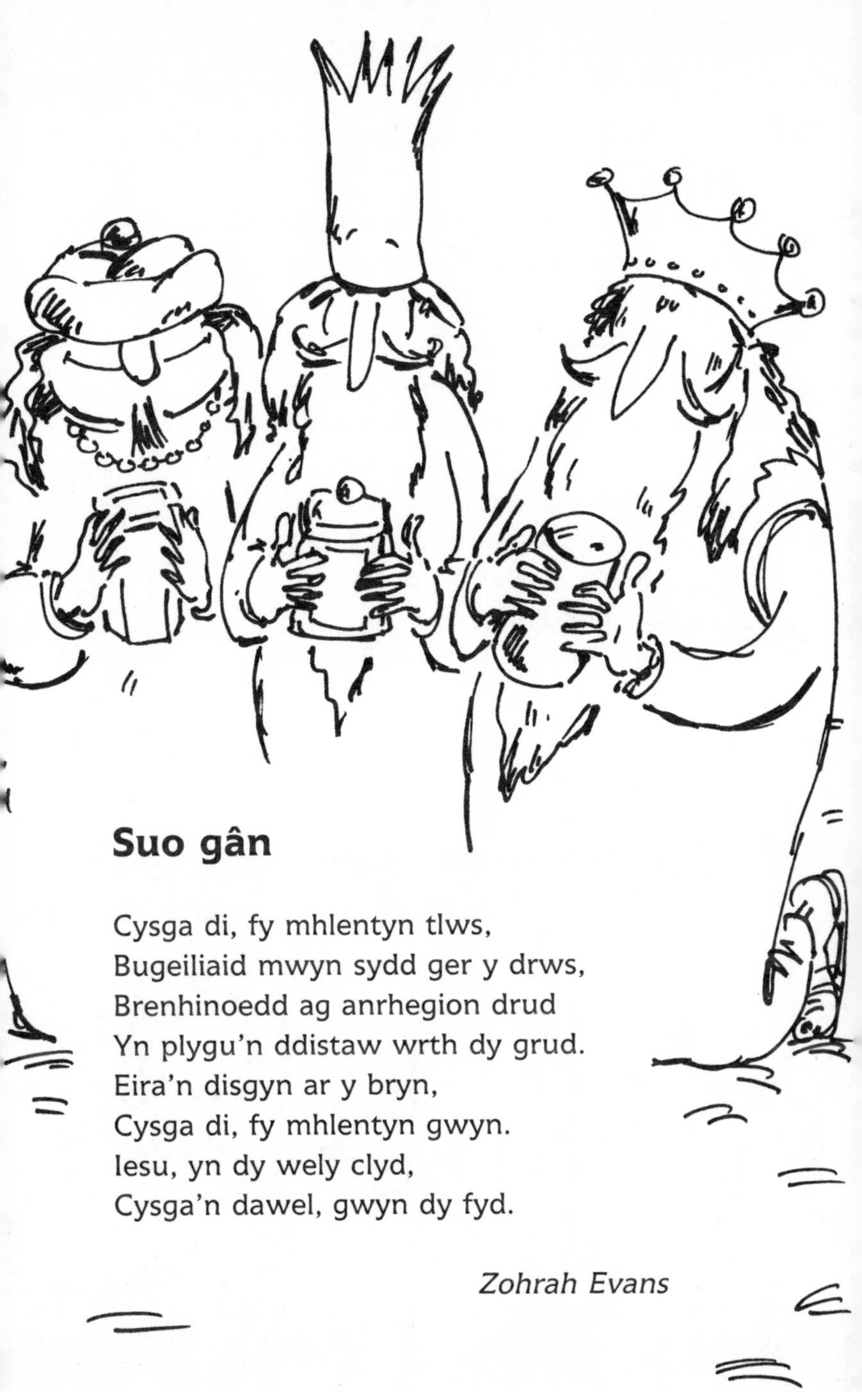

Suo gân

Cysga di, fy mhlentyn tlws,
Bugeiliaid mwyn sydd ger y drws,
Brenhinoedd ag anrhegion drud
Yn plygu'n ddistaw wrth dy grud.
Eira'n disgyn ar y bryn,
Cysga di, fy mhlentyn gwyn.
Iesu, yn dy wely clyd,
Cysga'n dawel, gwyn dy fyd.

Zohrah Evans

Preseb Canolfan Siopa Caer

Dio'm ots ai golygfa o gyfeiriad
cefn y brenin
neu o gefn y bugail;
yr un yw'r wyrth
yn y preseb ffigurau
yng nghanol disgleirdeb y siopau gwresog.

Syllwn innau,
ac ymwasgai hithau'r fechan
rhwng y piler a'r preseb
wythonglog.
Llif pobl yn mynd heibio,
ond hi a mi
yn edrych ar ein gilydd
bob hyn a hyn,
ac edrych i ffwrdd
yn ôl at hen stori'r Nadolig
yn y gwellt a'r gwair,
heb ddweud gair.

Yng nghanol canolfan y gwario
atseiniai'r sgidiau swel
fel hoelion llachar;
roedd y fechan wedi ei swyno
gan y baban yn y crud,
a dywedai wrth ei thad
y tu ôl i'r piler
pwy oedd y cymeriadau i gyd
yn y ddrama fwyaf fu erioed.

Ro'n i'n gallu dweud
ein bod ni'n dau yn chwilio
am yr un ongl.

Aled Lewis Evans

Y geni

Ar y noson wych honno
a'r wlad gyfan o dan do,
roedd y buarth dan garthion
a haen o laid hyd y lôn,
oglau hen gaglau'n y gwynt
a hen ias ar y noswynt.

Draw ymhell rhwng pedwar mur,
ar lawr gwlyb beudy budur,
y gwingai, ymwthiai mam
i eni ei mab dinam:
Mair, ym mhydew ei gwewyr
a'i chorff yn adrodd ei chur.

Heno, mae man amgenach
i weld geni'r babi bach,
ei eni ynom ninnau,
ei eni'n wyrth i'n glanhau,
yma'n stabal y galon,
a'i eni'n frawd dan y fron.

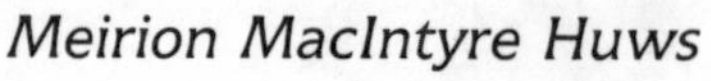

Meirion MacIntyre Huws

Taith y bugeiliaid

Beth sy'n fy ngyrru, Fethlem
Yn nhwll y gaeaf fel hyn?
A pha mor bell yw dy furiau
Yng ngolau'r barrug gwyn?

Sut mae gadael y ddiadell,
Fethlem ar y bryn?
Sut mae dilyn y llwybrau
Heb olau ond barrug gwyn?

Pam fod fy ngeiriau'n pallu?
Pam fod fy ngwefus yn dynn
A dim ond y sêr yn siarad,
Fethlem y barrug gwyn?

Beth sy'n fy nhynnu, Fethlem?
Pam fod fy nghannwyll ynghynn?
A dim ond tywyllwch yn diffodd
Yng ngolau'r barrug gwyn?

Clywed y gân wnaf, Fethlem,
Ei chlywed mewn barrug fel hyn
Ac ysgafn yw cyrraedd dy furiau
Hyd lwybr y golau gwyn.

Myrddin ap Dafydd

Penillion y plant

'Mae'r Nadolig yn dod,'
Meddai Siôn wrth y carw,
'A rhaid imi fynd
Drwy'r tywydd garw;
Mae plant Penrhiwceiber
Yn gyffro i gyd
Yn disgwyl am anrheg
O ben draw'r byd.'

Matthew (9 oed)
Ysgol Gymraeg Abercynon

Eira gwyn, eira mân,
Cysgu'n drwm o flaen y tân,
Anrhegion lu i'w hagor 'fory —
Wn i ddim a fedraf aros tan hynny.

Scott (9 oed)
Ysgol Gymraeg Abercynon

Mae'r gath yn dweud 'Nadolig Llawen
I chi i gyd,' gan godi'i phawen.

Luke (9 oed)
Ysgol Gymraeg Abercynon

Celyn Nadolig

Celyn bythwyrdd,
Celyn coch,
Pan ddaw Rhagfyr
I frathu 'moch.

Noswyl Nadolig,
Fel erioed,
Casglu'r coelion
Oddi ar y coed.

Gelyn bythwyrdd
Yn fy nhŷ,
Cadw'r trawstiau
Eto'n gry'.

Gelyn coch
Uwchben fy mwrdd,
Cadw newyn
Gaea' i ffwrdd.

Gelyn a'th ddail
Yn bigau main,
Cadw fi
Rhag coron ddrain.

Gelyn a'th aeron
Gwaedliw glân,
Cadw'r garol
O gylch y tân.

Celyn Nadolig
Fel pob tro
Yn cadw'r ŵyl,
Yn cadw'r co'.

Myrddin ap Dafydd

Un seren

’Run goeden eto ’leni,
a’r un aur rown arni hi,
yr un colur, ’run celyn
’run tinsel ac angel gwyn;
teganau brau at ei brig
yw ei dail eto’r Dolig.

Yn gymysg gyda’r gemau
rhown yn ddel Siôn Corn neu ddau,
ambell hosan a channwyll,
eira ffug, a rhoi â phwyll
resiad o oleuadau
i roi hwb i’r wefr barhau.

Ond tu fâs i'r syrcas hon,
guwch yn uwch na'r entrychion,
y mae gwên Un seren, sydd
heno i ni'n olau newydd;
a'i thân sy'n danllwyth heno'n
cyhoeddi Ei eni O.

Un seren yno'n gennad,
a'i golau hi'n gwahodd gwlad
i'r plygain, a'i harwain hi
at ogoniant y geni.
Un seren wen yn y nos,
yn wawr a ddaeth i aros.

Pan rown y goeden 'leni,
a'r hyn oll addurnai hi,
i'r atig, a rhoi eto
y sbrigyn celyn i'r co',
bydd Un seren yn gwenu
yn wefr o hyd, yno fry.

Meirion MacIntyre Huw

Goleuadau'r Ŵyl

Yn goch a melyn, glas, gwyrdd, gwyn,
Mae'r cownsil wrthi'n newid bylbiau
A thoc, mi fydd y dre ynghynn
Yn goch a melyn, glas, gwyrdd, gwyn.
Mi fydd tyrbeiniau'n troi, ar hyn,
Y gwifrau yn yr addurniadau
Yn goch a melyn, glas, gwyrdd, gwyn.
Mae'r cownsil wrthi'n newid bylbiau.

Mae seren neon yn y nen
A dwyfil wot o geirw cochion;
Mae'r heliwm eto'n deilio'r pren,
Mae seren neon yn y nen
A chlychau llachar sydd uwchben;
Ond hir o hyd yw'r oriau duon
Er seren neon yn y nen
A dwyfil wot o geirw cochion.

Ar gyfer heno dywyll, ddu
Daw eto olau heddiw'r bore;
Nid oes un cêbyl ddigon cry'
Ar gyfer heno, dywyll, ddu —
Does drydan yn y byd a dry
Y nos yn ddydd. Er hyn, o rywle,
Ar gyfer heno dywyll, ddu
Daw eto olau heddiw'r bore.

Myrddin ap Dafydd

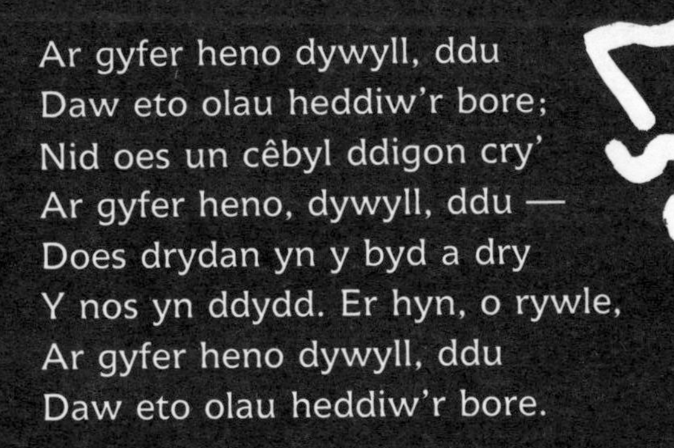

Cyngerdd Nadolig

Mae Joseff 'di pwdu
A Mair â cheg gam
Y defaid 'di crwydro
Ac un isio'i fam.

Mae Gabriel yn gwrthod
Rhoi gwisg grand, un wen,
Yn dweud fod y genod
Yn gwneud sbort am ei ben.

Mae drws bach y llety
'Di sticio, a thus
Un o'r doethion ar goll
Ac mae tempar ar Mus.

Mae hi *wedi* gwylltio
Yng nghanol y stŵr,
Ac yn saff na fydd cyngerdd
Ohoni yn siŵr . . .

Ond pan ddaeth y noson,
Roedd y neuadd yn llawn,
A phawb yno'n dweud
Bod yr ysbryd yn iawn.

Valmai Williams

Y tedi blêr

Mewn gwaelod bocs yn Oxfam
unig oedd, a'i ben yn gam,
ei wên drist, yn we drosto
fel tae fan hyn ers cyn co';
yn sbâr ar lawr sbwriel oedd,
a thedi di-werth ydoedd.

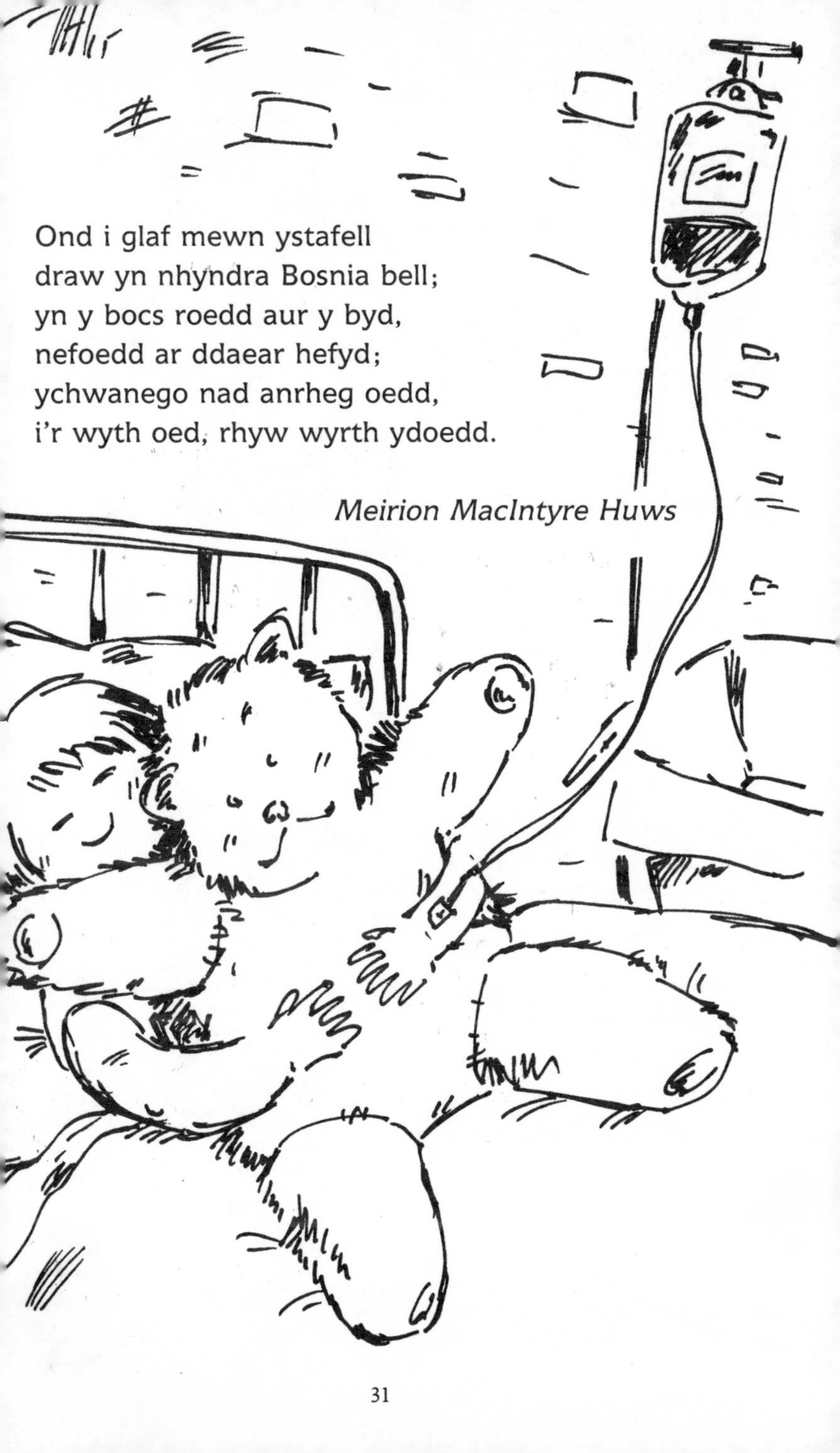

Ond i glaf mewn ystafell
draw yn nhyndra Bosnia bell;
yn y bocs roedd aur y byd,
nefoedd ar ddaear hefyd;
ychwanego nad anrheg oedd,
i'r wyth oed, rhyw wyrth ydoedd.

Meirion MacIntyre Huws

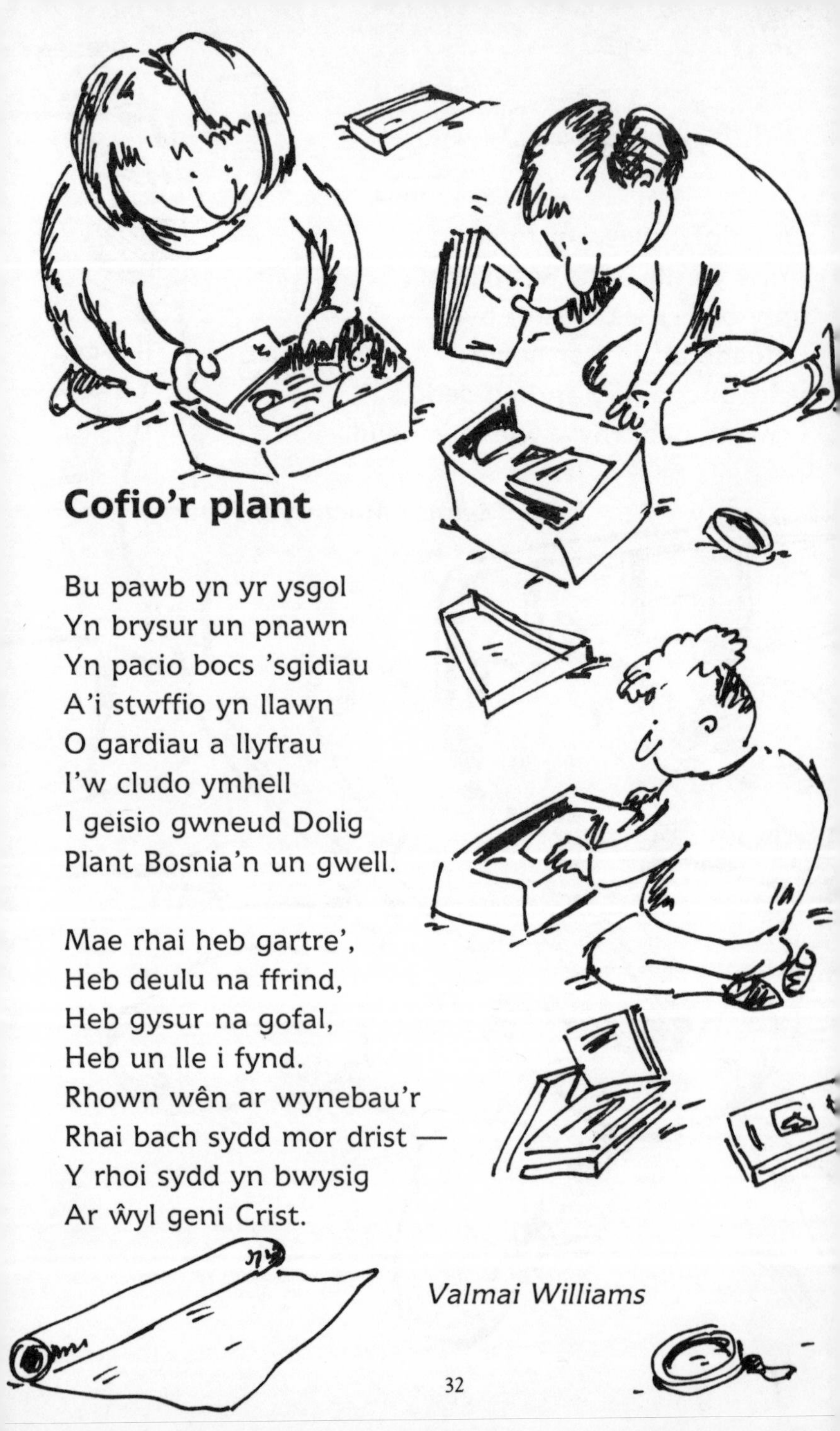

Cofio'r plant

Bu pawb yn yr ysgol
Yn brysur un pnawn
Yn pacio bocs 'sgidiau
A'i stwffio yn llawn
O gardiau a llyfrau
I'w cludo ymhell
I geisio gwneud Dolig
Plant Bosnia'n un gwell.

Mae rhai heb gartre',
Heb deulu na ffrind,
Heb gysur na gofal,
Heb un lle i fynd.
Rhown wên ar wynebau'r
Rhai bach sydd mor drist —
Y rhoi sydd yn bwysig
Ar ŵyl geni Crist.

Valmai Williams

Hosan wag

Do, mae o *wedi* galw,
Y dyn barf llaes, gwallt gwyn,
Mae blewyn y carw ar y celyn,
Ôl eira ar lawr yn fan hyn.

Do, mi dderbyniodd y llythyr,
Mi wnaeth y corachod eu gwaith
A hogyn bach da fûm innau —
Yn fy ngwely ymhell cyn saith.

Nid ei fai o ydi'r hosan
Sy'n wag, heb ddim ynddi i mi,
Mae twll yn ei throed, does dim bai ar Siôn —
Teulu bach tlawd ydan ni.

Myrddin ap Dafydd

Bocsys cardbord

Mae tŷ ni yn llawn
O focsys cardbord.
Roedd Dolig leni
Yn dipyn o record.

Ges i *Lego* a beic
A *Super Nintendo*,
Compiwtar a jîns
Ac *Action Man Commando*.

Ond ro'n i'n siomedig
Na chawson ni eira,
A finna wedi cael
Car-llusg gan Anti Meira.

* * *

Roedd Dolig leni
Yn Ddolig O Cê.
Mi ffendiais focs newydd
Ac ynddo ddigon o le.

Yna, mewn sgip
Ar ymyl y stryd
Cefais un hosan dyllog
A digon i wneud pryd.

Diolch i'r drefn
Na fwriodd hi eira
Neu byddai 'nghartra'
Wedi difetha.

Margiad Roberts

Llythyr at rieni

Annwyl Rieni,
Sylwais
Yn syth ar ôl yr Ŵyl.
Fod Rhagfyr arall wedi mynd
A chithau'n ddrwg eich hwyl.

Bob blwyddyn pan fo'r Dolig
O fewn lleuad neu ddwy
Mae'ch 'mynedd chi yn mynd yn llai
A'r cwyno'n mynd yn fwy.

Rhyw *dips* sydd genni i'w cynnig
Os ŷnt o unrhyw iws,
Rhag ichi eto fel o'r blaen
Bwdu a chwythu ffiws.

Cerwch i'r gwely'n gynnar
Da chi'n, lle blino'n llwyr,
'Di Santa ddim yn dod i weld
Y rhai sy'n effro'n hwyr.

I g'nesu'r galon wedyn
Rhowch beth o'ch *sherry* chi,
Rhowch hosan ar eich gwely,
Mae'n gweithio'n iawn i mi.

Os ydan ni, blant bychain,
Yn eich gyrru'n llwyr o'ch co'
fe dalai i chi gofio
Mai plentyn ydoedd O.

Fe allai y Nadolig
Roi'r un mwynhad i chi,
Pe byddech yn aeddfedu
I fod yn blant fel ni.

Sdim isho gwylltio'n gacwn,
Na threulio'r Ŵyl fel sant,
Dim ond rhyw joch o gomon sens.
Yn gywir iawn,
Eich Plant.

Tudur Dylan Jones

Credu yn Santa

Wrth eistedd ar lawr fore Dolig
Yn agor anrhegion di-ri
Mae'n dda 'mod i'n credu yn Santa
Ond mae'n well 'fod o'n credu 'na i.

Tony Llewelyn

Holi Dolig

'Annwyl Siôn Corn,
Yn fy ngwely
Rwy'n poeni am blant bach y byd
Mae hi'n bwysig ymweld â'u cartrefi
Gydag anrheg i'r cwbwl i gyd.
Ond lle mae y simne ar wigwam?
Ar iglw, ymhle mae y corn?
A sut dach chi'n danfon i gychod ar afon
A llongau dan hwyl rownd yr Horn?
Oes 'na grât mewn tŷ papur yn Tseina?
Ac yn Affrica ble mae y ffliw?
Oes 'na ddigon o grac yn nhoeau Iraq?
Oes man glanio ar doeau Periw?
A beth am tŷ ni yma 'Nghymru?
Peidiwch siomi 'rhen Siôn, blentyn bach.
Mae'n anodd gweld pwy ddaw drwy foilar y nwy
Gyda welis, chwech carw a sach.'
'Mae yfory yn Ddolig ym mhobman,'
Meddai'r hen ŵr, yn barod i'r daith,
'Os yw'ch calon ar agor, fydd dim eisiau rhagor
I San Niclas gyflawni ei waith.'

Tony Llewelyn

Baban

Yn sgerbydau'r coed,
mae baban,
Yn y rhew dan draed,
mae baban,
Yn y gwynt a'r glaw,
mae baban,
Ym mhob gaeaf ddaw,
bydd baban.

Mae storom drom,
mae enfys;
Mewn calon lom,
mae ynys
sy’n werddon fach,
sy’n chwerthin iach,
sy’n faban bach.

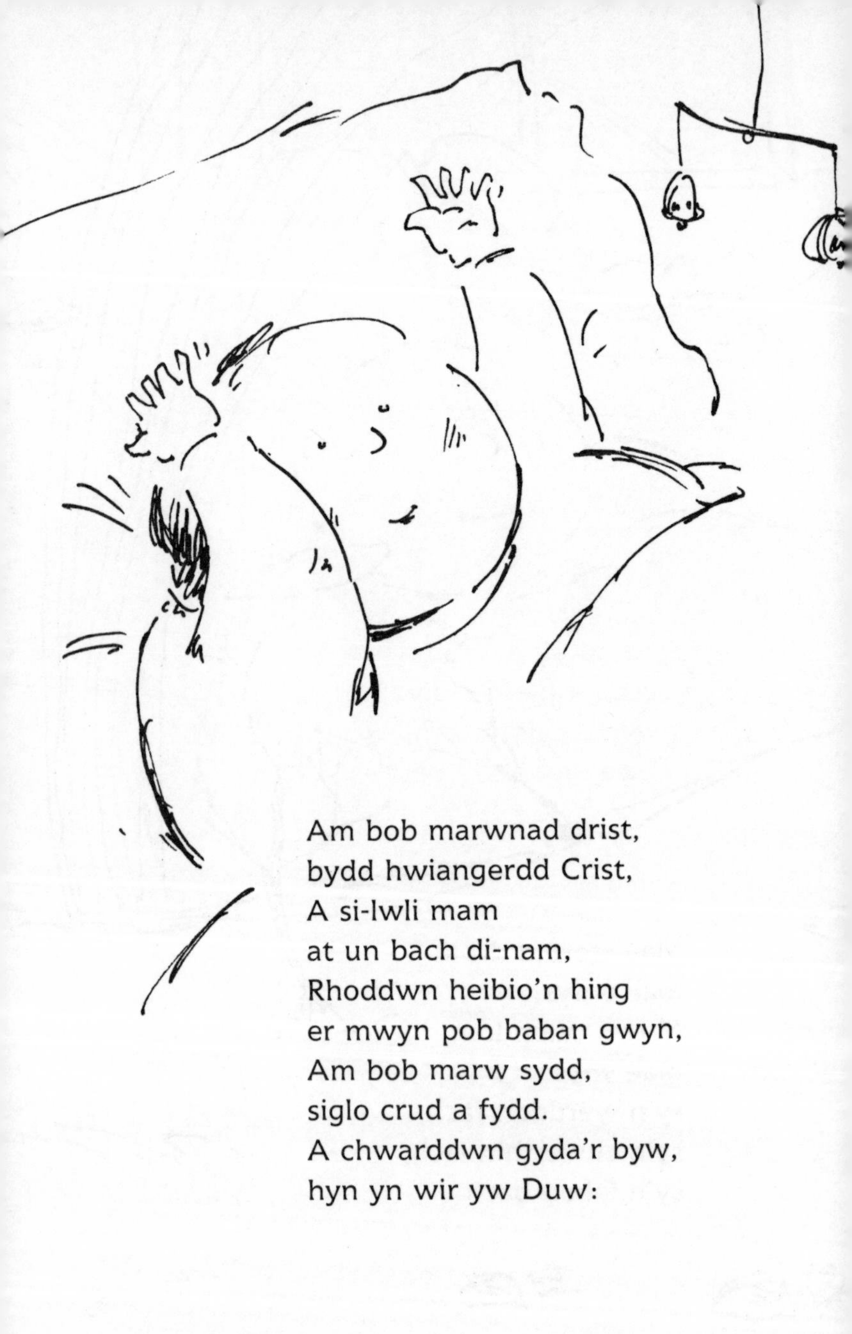

Am bob marwnad drist,
bydd hwiangerdd Crist,
A si-lwli mam
at un bach di-nam,
Rhoddwn heibio'n hing
er mwyn pob baban gwyn,
Am bob marw sydd,
siglo crud a fydd.
A chwarddwn gyda'r byw,
hyn yn wir yw Duw:

y chwerthin yn y nos,
y disgwyl Santa Clôs,
y pethau bychan bach,
fel baban bychan bach
yn gwenu yn ei grud,
yn cysgu'n gynnes glyd,
yn twymo calon mam,
yn chwalu pob un 'pam'.

Yn sgerbydau'r coed,
mae baban,
Yn y rhew dan draed,
mae baban,
Yn y gwynt a'r glaw,
mae baban,
Ym mhob gaeaf ddaw,
bydd baban.

Angharad Jones

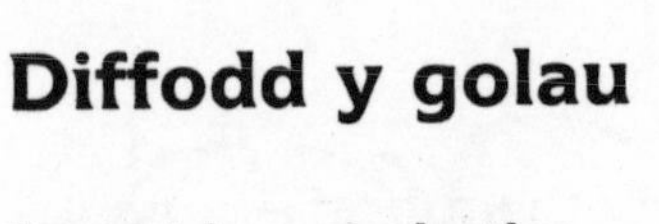

Diffodd y golau

Roedd 'na rywbeth
yn go arbennig
yn nhre'r Nadolig
pan ddiffoddodd y trydan.

I ganol ein prysurdeb,
ein paratoi, daeth amheuaeth i gnoi
i'n disgwyl caniataol.
Pryd ddeuai'r golau yn ôl?

Dim gwerthu yn Marks,
dim coffi yn y caffi,
y siopau'n dywyll fud;
fel petai'r gwir Nadolig
yn ceisio cael cyfle
i rannu'i genadwri.

Ac roedd rhywbeth yn braf
yn yr arafu,
yr eistedd, y disgwyl,
a'r siarad efo'n gilydd.

Roedd Duw yn deall yn union
beth oedd o'n ei wneud
pan dorrodd o'r cyflenwad trydan
Noswyl Nadolig.

Aled Lewis Evans

Bola Siôn Corn

Mae un bol ymysg boliau
sydd bron yn ddigon i ddau:
bola hiwj a bola od,
y bola sydd heb waelod;
ac mae ei sled yn dwedyd
'Hwn yw'r bol sy'n fwy na'r byd!'

Nid oes yn y bydysawd
un gŵn nos i guddio'i gnawd;
na'n unman i'r truan trwm
grys na throwsus wrth reswm
all gynnwys ei holl ganol,
na belt i gofleidio'r bol.

Heddiw gofynnais iddo
am ei fol anferthol o.
Ofni wnawn ond gofyn wnes
i hwn adrodd yr hanes . . .
Oedais . . . cyn dweud 'Pam rydych
yn fola-rownd fel rhyw ych?'

Chwarddodd a chwarddodd, a ches
awr a hanner o'i hanes:

'Y *mince pie* rwy'n ei feio
fy mod i'n *fifty stone four*,
a'r bola oedd fel tair balŵn
yn fola fel pafiliwn.
Mae'r holl dai'n rhoi *mince pie* poeth
i'm cyfarch, ac mae cyfoeth
y *pies* yn magu pwysau
fin nos ac yn fy nhewhau.
A'r tato a'r *gateaux* i gyd,
a'r hufen gorau hefyd,
a bwyta'r ugain *butty*
wedi'r tost cyn dod o'r tŷ.
Yn fy mol y mae fy maeth,
mewn bola mae'n bywoliaeth:
i fwyd ein storfa ydyw,
a rhan o'n hysgubor yw.
Bwyta'n ddoeth a bwyta'n dda
yw bioleg y bola.
Af o 'ma mwy at fy medd
yn ddiddeiet ddiddiwedd!'

Ac aeth, gyda'i geirw gwan
yn goch, a'i sled yn gwichian.
A minnau'n drist a distaw
at y drws es eto draw.

Ceri Wyn Jones

Ganwyd inni lew yn geidwad

Mae clychau Bethlem yn seinio ting-a-ling
Ac yntau'n bumlwydd, newydd weld y *Lion King*.

Cwestiynau Mawr sy'n amharu ar ei hwyl:
'Be ydi ysbryd?' 'Be ydi Ysbryd yr Ŵyl?'

'Sut gall yr hen lew farw, eto fod yn fyw?'
'Sut ei fod rhwng y sêr, eto o fewn clyw?'

A dyma glywed esboniad coeth
Mai'n hysbryd yw'n pethau gorau — yr hyn
sy'n ddewr, sy'n ddoeth,

Y rhannau ohonom sy'n dda i gyd
Sydd, pan 'dan ni'n mynd, yn aros yn y byd.

'Fedri di mo'i roi ar blât ar fwrdd
Na'i drin efo llwy, ond pan ei di i ffwrdd

Mi fydd rhywfaint o d'ysbryd yn dal ar ôl
Cyn wired â dy fod ti fan yna ar stôl.'

'Mae 'na ysbryd felly mewn pethau da?'
A distawrwydd deyrnasa uwch sosej a ffa.

Mae'r ffyrc yn dal i lenwi'r cegau sgips
Nes y daw o rywle: 'Oes 'na ysbryd mewn tships?'

Ac mae'r clychau'n ateb, yn sŵn Bethlem yn canu:
'Oes, yn does, os 'dyn nhw'n tships i'w rhannu.'

Myrddin ap Dafydd

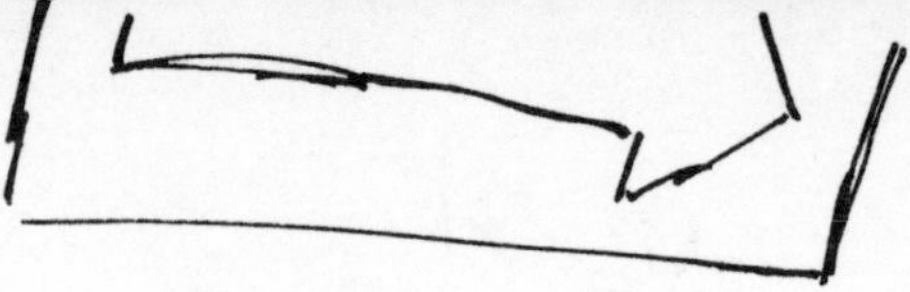

Siopa

Rhuthro heb stopio
A phawb yn fy ngwthio,
Dwi'm isio bod yma drwy'r pnawn.

Gwenno yn crïo
A minnau 'di blino
A'r bag neges Dolig yn llawn.

Traed pawb yn brifo,
Dim lle i gael cinio
A Mam wedi gwylltio go iawn.

Valmai Williams

Profiad go flin

Profiad go flin gafodd Santa,
Un noson wrth rannu presanta',
   'Doedd 'run corn ar y to
   Aeth Santa o'i go',
Do, bu ar ben y to tan ben bora.

Selwyn Griffith

Hwiangerddi

Dau gi bach yn mynd i'r gwely
Noson Dolig — methu â chysgu.
Dau gi bach yn codi'n fora,
Santa wedi llenwi'u sana'!

Mi welais Santa, do,
Yn crïo ar ben to,
Ofn llithro i lawr
Y simdde fawr,
Ho ho ho ho ho ho!

Jî carw bach, yn cario ni'n glyd
Noswyl Nadolig o gwmpas y byd.
Eira ar do
Yn andros o slic,
I lawr y simdde!
Wel dyna i chi dric!

Zohrah Evans

Dolig

Hwrê am Ddydd Nadolig
Y diwrnod gore sy',
Mae pawb yn cael anrhegion
— Pawb hynny yw ond y **FI!!**

Ma' Elen 'di cael gwisg newydd —
'Weles i 'rioed shwd ffys,
A Guto bach 'di cael beic mawr coch
O'r sêl yn *Toys 'Я Us*.

Dad wedi cael sgriwdreifar
I helpu o gwmpas y tŷ,
A mam wrth 'i bodd gyda'r freichled —
Ond sneb 'di cofio **FI!!**

Bydde bisged yn dda i ddechre,
Neu asgwrn bach i'w gnoi,
Neu hyd yn oed bowlen o *Pal o meat*
(Ond yn fwy na'r un ges i ddoe!)

Ydi,
Mae'r Dolig yn hwyl i'r teulu i gyd
A'r tŷ'n llawn hwyl a sbri
A mae pawb wedi cael 'u hanrhegion
Pawb, hynny yw, ond y **CI!!**

WFF! WFF! WFF!! WFF!!

Dewi Pws

Nadolig neidar . . .

Pwy fyddai'n tharff droth y Dolig
Pan fo'r tunthyl yn thgleinio'n y coed,
Pan fo'r thiopa yn llawn o brethanta'
A'r eira yn drwchuth dan droed?

Bryd hynny, mae'n anodd i neidar
Thy'n foel ac yn hollol ddi-flew
I thglefrio ei ffordd lawr i'r thiopa'
Gyda'i bola hi'n thtyc yn y rhew.

Pob dydd lawr i thyrjyri'r doctor
Rwy'n thleifio yn tharrug fy myd,
Mae'r barrug yn beryg — dwi'n diodda
Gan lothgeira dair troedfedd o hyd!

Eleni, pan ddaw Thanta drwy'r thimdde
Bydd nodyn o dan y minth peith,
Yn gofyn 'ddo gofio am neidar
Thydd yn thythu a'n haeddu thyrpreith.

Mor braf fyddai deffro ben bore
A Thiôn wedi cofio'r tharff fach,
Gan adael y prethant bach gora
Na roddodd erioed yn ei thach.

Tra bo pawb yn y byd wrthi'n gwagio
Pob hothan a hongiwyd droth noth,
Mi lithrwn yn haputh i lenwi
Un o thannau gwlân gwag Thanta Cloth.

Tony Llewelyn

Na! Nadolig eto!

Na — na — NA!!
Dolig unwaith eto!
Doli i Siân;
Oli Dylluan i Huw bach.
'Ig!' ebychodd Siôn y gŵr,
Can cwrw yn crwydro o'i law.
Llawen iawn!!
Meri ym miri'r ŵyl yn mwydro›
'X fawr i Santa.'
'Mâs â chi i ganu carola'
Ust!!
'Sisiala'r awel fwyn,
Dros fryN A DÔL'
'IG' ebychodd Siôn.

Mari Tudor

Deiet Mam

Roedd Mam i fod ar ddeiet,
Ond mi fwytaodd hi fwy na ni i gyd.
A dweud y gwir, dwi'n ama
Iddi fwyta mwy na neb yn y byd.

I ddechra, mi gafodd hi frecwast,
Bara saim, cig moch ac ŵy,
A grawnfwyd iachusol a llefrith
A jam ar ryw frechdan neu ddwy.

Yng nghanol y bore bwytaodd
Fins peis a dau danjarîn
Ac i olchi y cyfan i lawr y lôn goch,
Cafodd wydraid ne' bedwar o win.

’Rôl y ’sgewyll, y moron a’r twrci,
Y grefi, llygeirion a’r pys,
Y pwdin a’r môr menyn melys,
Rhaid oedd rhuthro i’r toilet ar frys.

Clywsom duchan a stachu o fanno
Ac yna glec fawr dros bob man
Roedd y twrci a’r pwdin, a’r mins peis a’r stwffin
Wedi llwyr ddifrodi y pan.

Y bore ar ôl y Nadolig
Doedd dim siocled ar gyfyl y lle,
Dim ond salad i frecwast a salad i ginio
A chlamp o salad i de.

Lis Jones

Dolig yn yr ha'

Petai'r Dolig yn yr ha'
A chwsberis yn y gaea'
Mi fyddwn i'n torheulo
Ar draethell Dinas Dinlla
A neidio dros y tonna'
Heb awydd i fynd adra'
I roi mins peis i Santa,
— Fe gawn i Ddolig da.

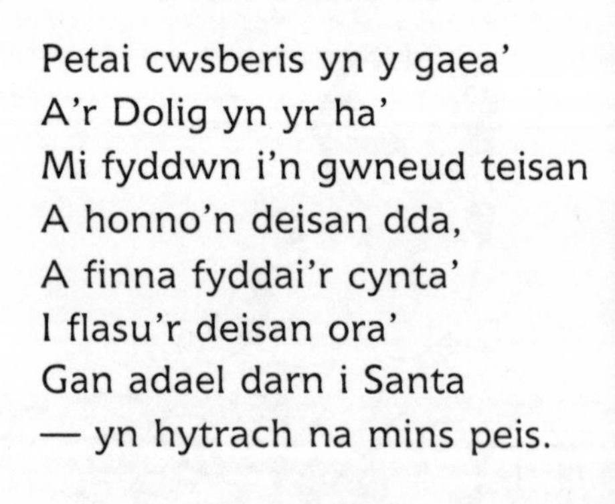

Petai cwsberis yn y gaea'
A'r Dolig yn yr ha'
Mi fyddwn i'n gwneud teisan
A honno'n deisan dda,
A finna fyddai'r cynta'
I flasu'r deisan ora'
Gan adael darn i Santa
— yn hytrach na mins peis.

Ond ofer disgwyl Dolig
Yng nghanol gwres o hyd,
A dyna pam rwy'n 'styried
Mynd draw i ben-draw'r-byd,
Cael Dolig yn Awstralia
Mi fyddai hynny'n neis,
A gadael yr hen Santa
Ar draethell Dinas Dinlla
— I fwyta ei fins peis.

Selwyn Griffith

Y Cracer

Roedd y cracer rhyfeddaf a grewyd erioed
Yn ymestyn o Fangor i Fetws-y-coed,
A thîm rygbi'r ddinas a thîm o Nant Conwy
Fu'n chwysu a baglu wrth dynnu a thynnu
Nes creu andros o glec ar lannau Llyn Ogwen,
A dyna fu achos y Nadolig Llawen.

Oherwydd . . .

O'r cracer anferth, fe ddaeth mul a chath
Jiraff a mwnci, neidar gantroed chwe llath,
Eliffant pinc, naw chwannen a chi,
Sebra a llwynog a tshimpansî;
Ceffylau, llyffantod a sawl deryn to,
Cwningen a bustach, caneri a llo;
Dau ddalec o Mars, a llygod yn bla,
A dau ddyn eira, os gwelwch chi'n dda.

A mawr oedd y stŵr a'r halibalŵ
Pan droes Dyffryn Ogwen yn gartref i sŵ
A'r plant wrth eu bodd yn cael amser ffantastig
Pan ffrwydrodd y cracer ar fore'r Nadolig;
A phan ddaeth y diwrnod cofiadwy i ben
Roedd llun ohono ar *News at Ten*,
Ac am wythnosa' bu taeru a dadla'
Nad cracer oedd o

— ond yr **ail Arch Noa**.

Selwyn Griffith

Noswyl Nadolig

'Wela i ddim ceirw yn dod dros y bryn,
A 'chlywa i mo'r clychau yn canu'n y glyn;

Ond mae'r gwynt yn chwipio'r llyn dan y lloer
Gwell i mi swatio ar noson mor oer,

Mae 'na ddyn eira ar ganol y rhos
Yn disgwyl yn eiddgar am Santa Clôs,

Sgarff am ei wddf o a het ar ei ben
Yn astudio'r sêr sy'n disgleirio'n y nen;

Gwell mynd i gysgu a chael breuddwyd bêr
Am geirw'n carlamu dan drimins o sêr,

Yna deffro'n y bore yn gynnar iawn
A chanfod yr hosan yn fwy na llawn,

A Santa wedi diflannu'n llwyr
Fel y dyn eira. I ble? Pwy a ŵyr?

Selwyn Griffith

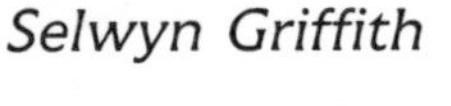

Doliau

'Beth gafoch chi'n bresant Dolig, Nain,
Pan oeddach chi'n hogan bach?'
'Afal ac oren a doli bren,
Oedd gan Santa yn ei sach.'

'Beth gafoch chi yn eich hosan, Mam?
Gafoch chithau ddoli bren?'
'Ces ddoli fawr degan â llygaid glas
A mop o wallt ar ei phen.'

Doli fach Cindy a gefais i,
Efo dillad crand amdani.
Tydi Santa Clos'n un da
Am gofio dod â doli?

Lis Jones

Nos da

Rho dy gôt yn y wardrob Santa,
Rho dy draed o flaen y tân.
Mae dy drwyn di'n goch gan oerni,
Ti wedi blino'n lân.

Mae'r plant i gyd yn cysgu,
Cei dithau seibiant nawr.
Ddaw Dolig ddim am flwyddyn.
Nos da, a diolch yn fawr.

Lis Jones

Faint o bresantau ge'st ti?

Di-ling, di-ling, be sy'n bod fan hyn?
'Dw i 'di cael toreth, a rhai 'di cael dim.

Ann Bryniog

(Gyda diolch i awdur 'Di-ling, di-ling, pwdin yn brin . . . ')

LLYFRAU LLOERIG

Teitlau eraill yn y gyfres

Y Crocodeil Anferthol, addas. Emily Huws (Cymdeithas Lyfrau Ceredigion Gyf.)
Ble mae Modryb Magi? addas. Alwena Williams (Gwasg Gomer)
'Chi'n bril, bòs!' addas. Glenys Howells (Gwasg Gomer)
Merch y Brenin Braw addas. Ieuan Griffith (Gwasg Gomer)
Newid Mân, Newid Mawr, addas. Dylan Williams (Gwasg Gomer)
Pwy sy'n ferch glyfar, 'te? addas. Siân Lewis (Gwasg Gomer)
Crenshiau Mêl am Byth? addas. Dylan Williams (Gwasg Gwynedd)
Dyfal Donc, addas. Emily Huws (Gwasg Gwynedd)
'Dyma fi — Nanw!' addas. Marion Eames (Gwasg Gwynedd)
Peiriannau Nina, addas. Siân Lewis (Gwasg Gwynedd)
Sianco, addas. Angharad Dafis (Gwasg Gwynedd)
Syniad Gwich? addas. Jini Owen a Brenda Wyn Jones (Gwasg Gwynedd)
Codi Bwganod, addas. Ieuan Griffith (Gwasg Gomer)
Y Fisgeden Fawr, addas. Nansi Pritchard (Gwasg Gomer)
Moi Mops, addas. Eirlys Jones (Gwasg Gomer)
Parti'r Mochyn Bach, addas. Urien Wiliam (Gwasg Gomer)
Pws Pwdin yn Cael Hwyl! addas. Gwenno Hywyn (Cyhoeddiadau Mei)
Smalwod, addas. Gwynne Williams (Gwasg Cambria)
Dannodd Babadrac, Irma Chilton (Gwasg Gomer)
Dannedd Dodi Tad-cu, Martin Morgan (Cymdeithas Lyfrau Ceredigion Gyf.)
Tad-Cu yn Colli ei Ben, Martin Morgan (Cymdeithas Lyfrau Ceredigion Gyf.)
Teulu Bach Tŷ'r Ysbryd, addas. Delyth George (Cyhoeddiadau Mei)
Cemlyn a'r Gremlyn, addas. Jini Owen a Brenda Wyn Jones (Cyhoeddiadau Mei)
Popo Dianco, addas. Dylan Williams (Gwasg Gwynedd)
Nainosor, addas. Gwawr Maelor (Gwasg Gwynedd)
Gwibdaith Gron, Hilma Lloyd Edwards a Siôn Morris (Y Lolfa)
Zac yn y Pac, Gwyn Morgan a Dai Owen (Dref Wen)
Potes Pengwin/Tynnwch Eich Cotiau, addas. Emily Huws (Dref Wen)
Cofiwch Bwyso'r Botwm Neu . . . Mair Wynn Hughes ac Elwyn Ioan (Gwasg Gomer)
Briwsion yn y Clustiau, gol. Myrddin ap Dafydd (Gwasg Carreg Gwalch)
3x3 = Ych-a-fi! Siân Lewis a Glyn Rees (Gwasg Gomer)
Rwba Dwba, Gwyn Morgan (Dref Wen)
Mul Bach ar Gefn ei Geffyl, gol. Myrddin ap Dafydd (Gwasg Carreg Gwalch)
Yr Aderyn Aur, addas. Emily Huws (Gwasg Gomer)
Tŷ Newydd Sbonc, addas. Brenda Wyn Jones (Gwasg Gomer)

Rhagor o farddoniaeth i blant gan Wasg Carreg Gwalch

gol: Myrddin ap Dafydd
cartwnau: Siôn Morris

BRIWSION YN Y CLUSTIAU

£3.25

Golygydd Myrddin ap Dafydd

MUL BACH AR GEFN EI GEFFYL

£3.50

Beth am fynd ati i sgwennu barddoniaeth?

Mae'r cyfrolau hyn yn cynnig barddoniaeth sy'n hwyl, sy'n hawdd ei ddarllen ac sy'n cyffwrdd â thant arbennig o dro i dro.

Mae llawer o blant wedi darllen y cyfrolau ac wedi cael awydd i fynd ati i sgwennu. Ar dudalennau 18/19 mae peth o gynnyrch disgyblion Ysgol Gymraeg Abercynon ac mae hyn yn rhywbeth i'w groesawu yn fawr.

Mi hoffem, fel gwasg, feithrin cysylltiad agosach gydag ysgolion a chydag unigolion sy'n sgwennu darnau o farddoniaeth. Ewch ati i chwarae gyda geiriau — mi all fod yn hwyl ac mi all roi llawer o foddhad.

Ond am beth gawn ni sgwennu?' ydi'r cwestiwn nesaf fel arfer. Sgwennwch am bethau o'ch cwmpas — yr ysgol, y dosbarth, y buarth, y maes chwarae, gwyliau, hoff wersi, cas wersi, ffrindiau, gemau, y tymhorau, y tywydd, y tŷ, y teulu, tripiau, teithiau — o, mae digon o bethau i'w dweud am hyn i gyd heb fod angen crafu pen yn hir iawn.

Bydd rhai o'ch cerddi yn llawen, yn ddoniol, yn ddigri, bydd rhai eraill yn fwy llonydd, mwy teimladwy. Rhwng chwarae a chysgu, rydan ni'n cael llawer o brofiadau ac mae 'na bleser a boddhad o geisio rhoi trefn ar y rheiny mewn geiriau.

Ewch ati. Mi fyddwn yn edrych ymlaen at glywed oddi wrthych. Anfonwch eich cynnyrch at y wasg:

Gwasg Carreg Gwalch
12 Iard yr Orsaf
Llanrwst
LL26 0EH
☎ 01492 642031
Ffacs 01492 641502